Ik vind je lief, opa

PaRragon

Bath · New York · Singapore · Hong Kong · Cologne · Delhi · Melbourne

Kleine Beer en Opa Beer lopen langs de rivier als Kleine Beer ineens een vis in het water ziet zwemmen.

"Snel, opa!" roept hij.

Tekst: Jillian Harker
Illustraties: Daniel Howarth

Copyright © Parragon Books Ltd

Copyright © 2007 voor de Nederlandstalige uitgave:
Parragon Books Ltd
Queen Street House
4 Queen Street
Bath BA1 1HE, UK

Alle rechten voorbehouden.

Vertaling, redactie en productie: Persklaar, Groningen
Opmaak: Elixyz Desk Top Publishing, Groningen

ISBN 978-1-4075-2013-1
Printed in Indonesia

Hij rent de rivier in, vangt
de vis en laat de vis trots
aan zijn opa zien.

Opa Beer glimlacht. "Je bent snel,
Kleine Beer," zegt hij. "Ik kan me nog
herinneren dat ik net zo snel was als jij."
Hij loopt rustig de rivier in en draait
zich om naar Kleine Beer.

"Mijn benen waren toen net zo sterk en snel als die van jou," voegt hij eraan toe. "Maar nu weet ik een handigere manier om een vis te vangen."

"Echt waar, opa?" vraagt Kleine Beer. "Hoe dan?"

"Kijk," zegt opa, "omdat ik nu
minder snel ben, ga ik midden in de rivier
in de stroomversnelling staan." En hij
stopt bij een rots.
"Ik blijf nu heel stil en geduldig
wachten tot er een vis uit het water
springt..., zo m'n mond in."

"Wauw!" roept Kleine Beer uit.
"Wat ben jij handig!
Ik vind je lief, opa."

Dan zeilt er opeens een adelaar naar
beneden. Met zijn vleugelslag verwart
hij de berenvachten. Ze zien zijn scherpe
klauwen.

Kleine Beer klimt van schrik meteen hoog in een boom. Opa Beer lacht.

"Ik kan me herinneren dat ik net zo goed kon klimmen als jij," zegt hij. "Mijn armen waren nog sterk. Maar nu hoef ik niet meer te vluchten."

"Echt niet, opa?" vraagt Kleine Beer. "Wat doe je dan?"

"Nou," zegt Opa Beer, "ik ben nu dapperder." Als de adelaar weer langsvliegt, geeft opa een diepe, schorre brul. De adelaar vliegt snel weg achter de bergen.

ROoooo aaahhh

"Wauw!" roept Kleine Beer uit.
"Wat ben jij dapper! Ik vind je lief, opa."

Ze lopen verder tot ze bij een helling aankomen. De grond is daar zachter en dieper.

"Kijk, opa," zegt Kleine Beer, "ik kan
heel goed een hol uitgraven waar ik
mijn winterslaap kan houden!"
Kleine Beer graaft zo hard dat de grond
alle kanten op vliegt.

Opa Beer glimlacht. "Ik kan me nog herinneren dat ik net zo goed kon graven als jij," verzucht hij. "Toen had ik nog scherpe klauwen. Maar nu weet ik een betere manier om aan een hol te komen."

"Echt waar, opa?" fronst Kleine Beer. "Maar hoe overwinter jij dan?"

"Ik ben nu slimmer," zegt Opa Beer. "Ik hoef alleen maar op zoek te gaan naar een holle boom."
Hij loopt voor Kleine Beer uit door het bos.
"Kom maar mee," roept hij. En hij brengt Kleine Beer bij een enorme boom.

Midden in de dikke stam zit een gezellig holletje.

"Wat weet jij veel!" lacht Kleine Beer. "Ik vind je lief, opa."

Kleine Beer kijkt op naar Opa Beer.
"Denk je dat ik ooit zo handig, dapper en
slim word als jij?" vraagt hij.

"Natuurlijk!" antwoordt Opa Beer.
"Zal ik je eens leren hoe?"
Kleine Beer knikt van ja.

Opa Beer neemt Kleine Beer mee naar een
stroomversnelling en leert hem hoe hij op een
handige manier vis vangt...

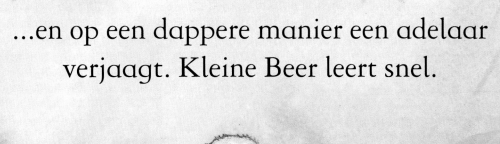

...en op een dappere manier een adelaar
verjaagt. Kleine Beer leert snel.

Dan begint het te sneeuwen.

"Het is tijd dat we een lekker holletje voor ons tweeën vinden," zegt opa.

En hij helpt Kleine Beer een slimme keuze te maken.

Kleine Beer kruipt lekker dicht tegen
Opa Beer aan. Hij heeft het erg naar zijn zin.
"Ik vind je lief, opa," lacht hij.
Opa Beer strijkt Kleine Beer tegen z'n haren
in en maakt er een warboel van. "Ik vind jou
ook lief, Kleine Beer," zegt hij.